Michel Van Zeveren

LA
PUERTA

Sistema de clasificación Melvil Dewey DGME

839.31
Z3
2008   Zeveren, Michel van
        La puerta / Michel van Zeveren; trad. de Rafael Ros. — México : SEP : Celistia, 2008.
    64 p. : il. — (Libros del Rincón)

    ISBN: 978-607-469-019-4 SEP

    1. Literatura belga. 2. Cuento. 3. Literatura infantil. I. Ros, Rafael, tr. II. t. III. Ser.

Título original: *La porte*

© De la edición en lengua original: L'école des loisirs, París, 2008

© De la edición en castellano: Editorial Corimbo, Barcelona, 2008

Primera edición SEP / Celistia, 2008

D.R. © Celistia, S.A. de C.V., 2008
      (Grupo Montagud)
      Herodoto 42, Anzures,
      11590, México, D.F.
      Tel.: 52-03-97-49
      www.editorialjuventud.com.mx

D.R. © Secretaría de Educación Pública, 2008
      Argentina 28, Centro,
      06020, México, D.F.

ISBN: 978-607-7657-01-9 Celistia
ISBN: 978-607-469-019-4 SEP

Impreso en México

Michel Van Zeveren

LA PUERTA

Libros del Rincón

La puerta
se imprimió por encargo de la Comisión
Nacional de Libros de Texto Gratuitos en los talleres de
Compañía Editorial Ultra, S.A. de C.V.,
con domicilio en Centeno 162, col. Granjas Esmeralda,
delegación Iztapalapa, 09810, México, D.F.,
en el mes de diciembre de 2008.
El tiraje fue de 150 200 ejemplares.